錢豐寰曰前議論後叙事簡嚴典則一句不可增減

處州孔子廟碑

序孔子祀典之尊崇處入骨孔子廟碑漢以来當屬昌黎第一

自天子至郡邑守長通得祀而徧天下者唯社稷與孔子爲然而社祭土稷祭穀句龍與弃乃其佐享非其專主又其位所不屋而壇豈如孔子用王者事巍然當座以門人爲配自天子而下北面跪祭進退誠敬禮如親弟子者句龍弃以功孔子以德固自有次第哉自古多有以功德得其位者不得常祀句龍弃孔子皆不得位而得常祀然其祀事皆不如孔子之盛所謂生人以來未有如孔子者其賢過於堯舜遠矣此其效歟郡邑皆有孔子廟或不能修事雖設博士弟子或役於有司名存實亡失其所業獨處州刺史鄴侯李繁至官能以爲先既新作孔子廟又令工攺爲顏子至子夏十人像其餘六十子及後大儒公羊高左丘明孟軻荀況伏生毛公韓生董生高堂生楊雄鄭玄等數十人皆圖之壁選博士弟子必皆其

人又爲置講堂教之行禮肄習其中置本錢廪米令可繼處以守廟成躬率吏及博士弟子入學行釋菜禮耆老歎嗟其子弟皆興於學鄴侯尚文其於古記無不貫達故其爲政知所先後可歌也已乃作詩曰

惟此廟學鄴侯所作厥初庳下神不以宇生師所處亦窘寒暑乃新斯宮神降其獻講讀有常不識用勸揭揭元哲有師之尊羣聖嚴嚴大法以存像圖孔肖咸在斯堂以瞻以儀俾不惑忘後之君子無廢成美琢詞碑石以贊攸始

錢豊蒙曰事神治人一篇頭腦其文莊雅典則

南海神廟碑

以祀事作案摹寫神采爗然

海於天地間爲物最鉅自三代聖王莫不祀事考於傳記而南海神次最貴在北東西三神河伯之上號爲祝融天寶中天子以爲古爵莫貴於公侯故海嶽之祝犧幣之數放而依之所以致崇極於大神今王亦爵也而禮海嶽尚循公侯之事虛王儀而不用非致崇極之意也由是册尊南海神爲廣利王祝號祭式與次俱昇因其故廟易而新之在今廣州治之東

一句喚起南海之便與朗

唐壽

朝廷之嚴於事神如此

詳而不繁

南海道八十里扶胥之口黃木之灣常以立夏氣至命廣州刺史行事祠下事訖驛聞而刺史常節度五嶺諸軍仍觀察其郡邑於南方事無所不統地大以遠故常選用重人既貴而富且不習海事又當祀時海常多大風將往皆憂感既進觀顧怖悸故常以疾爲解而委事於其副其來已久故明宮齋廬上雨旁風無所盖障牲酒瘠酸取具臨時水陸之品狼籍籩豆薦裸興俯不中儀式吏滋不供神不顧享盲風怪雨發作無節人蒙其害元和十二年始詔用前尚書

晴伏委事於其副與誓有司

詳冊文頗覺生色

以賦頌之体敘事亦晉魏以後遺調也而昌黎撰次情景故用此体

右丞國子祭酒魯國孔公爲廣州刺史兼御史大夫
以殿南服公正直方嚴中心樂易祗愼所職治人以
明事神以誠內外單盡不爲表襮至州之明年將夏
祝冊自京師至吏以時告公乃齋祓視冊誓群有司
曰冊有皇帝名乃上所自署其文曰嗣天子某謹遣
官某敬祭其恭且嚴如是敢有不承明日吾將宿廟
下以供晨事明日吏以風雨白不聽於是州府文武
吏士凡百數交謁更諫皆揖而退公遂陞舟風雨少
弛櫂夫奏功雲陰解駁日光穿漏波伏不興省牲之

（領袖）（合事神）（事神）（詳盡）

夕載陽載陰將事之夜天地開除月星明概五鼓既
作牽牛正中公乃盛服執笏以入卽事文武賓屬俯
首聽位各執其職牲肥酒香罇爵淨潔降登有數神
具醉飽海之百靈秘怪慌惚畢出蜿蜿虵虵來享飲
食闔廟旋艫祥飈送颿旗纛旄麾飛揚晻藹鐃鼓嘲
轟高管噭譟武夫奮櫂工師唱和穹龜長魚踊躍後
先乾端坤倪軒豁呈露祀之之歲風災熄滅人厭魚
蟹五穀胥熟明年祀歸又廣廟宮而大之治其庭壇
改作東西兩序齋庖之房百用具修明年其時公又

（伏祠時星月俱入描畫）（纔入建廟）（詳於祠而省於此射鵰呼也）

固徃不懈益虔歲仍大和耋艾歌詠始公之至盡除他名之稅罷衣食於官之可去者四方之使不以資交以身爲帥燕享有時賞與以節公藏私畜上下與足於是免屬州負逋之緡錢廿有四萬米三萬二千斛賦金之州耗金一歲八百囷不能償皆以丐之加西南守長之俸誅其尤無良不聽令者由是皆自重愼法人士之落南不能歸者與流徙之胄百廿八族用其才良而廩其無告者其女子可嫁與之錢財令無失時刑德並流地方數千里不識盜賊山行海宿

下益紀孔公政績

不擇處所事神治人其可謂備至耳矣咸願刻廟石以著厥美而繫以詩乃作詩曰

南海陰墟祝融之宅即祀于旁帝命南伯吏惰不躬正自今公明用享錫右我家邦惟明天子惟愼厥使我公在官神人致喜海嶺之陬既足既濡胡不均弘俾執事樞公行勿遲公無遽歸匪我私公神人具依

呂雅山曰通篇看他敘事及狀物妙處

黃陵廟碑

此文用爾雅說文体別是一格

湘旁有廟曰黃陵自前古立以祠堯之二女舜二妃者庭有石碑斷裂分散在地其文剝缺考圖記言漢荆州牧劉表景升之立題曰湘夫人碑今驗其文乃晉太康九年又其額曰虞帝二妃之碑非景升立者秦博士對始皇帝云湘君者堯之二女舜妃者也劉向鄭玄亦皆以二妃爲湘君而離騷九謌既有湘君又有湘夫人王逸之解以爲湘君者自其水神而謂

湘夫人乃二妃也從舜南征三苗不及道死沅湘之間山海經曰洞庭之山帝之二女居之郭璞疑二女者帝舜之后不當降小水爲其夫人因以二女爲天帝之女以余考之璞與王逸俱失也堯之長女娥皇爲舜正妃故曰君其二女女英自宜降曰夫人也故九謌辭謂娥皇爲君謂女英帝子各以其盛者推言之也禮有小君君母明其正自得稱君也書曰舜陟方乃死傳謂舜昇道南方以死或又曰舜死葬蒼梧二妃從之不及溺死沅湘之間今謂竹書紀年帝王

之沒皆曰陟陟昇也謂昇天也書曰殷禮陟配天言以道終其德協天也書紀舜之沒云陟者與竹書周書同文也其下言方乃死者所以釋陟爲死也地之勢東南下如言舜南巡而死宜言下方不得言陟方也以此謂舜死葬蒼梧於時二妃從之不及而溺者皆不可信二妃既曰以謀語舜脫舜之戹成舜之聖堯死而舜有天下爲天子二妃之力宜常爲神食民之祭今之渡湖江者莫敢不進禮廟下元和十四年春余以言事得罪爲潮州刺史其地於漢南海之揭

陽厲毒所聚懼不得脫死過廟而禱之其冬移袁州刺史明年九月拜國子祭酒使以私錢十萬抵岳州願易廟之圮桷腐瓦於刺史王堪長慶元年刺史張愉自京師往與愉故善謂曰丐我一碑石載二妃廟事且令後世知有子名愉曰諾既至州報曰碑謹具遂篆其事俾刻之

戴豊棠曰把同姓兩國比並形容起議論真是偷天手至其毫端瑰偉勁傑之氣不下史漢

本世傳小說文類史遷

衢州徐偃王廟碑

以客形主而立論奇高造語怪偉當是昌黎大文字

徐與秦俱出柏翳爲嬴姓國於夏殷周世咸有大功秦處西偏專用武勝遭世衰無明天子遂虎吞諸國爲雄諸國旣皆入秦爲臣屬秦無所取利上下相賊害卒僨其國而沈其宗徐處得地中文德爲治及偃王誕當國益除去刑爭末事凡所以君國子民待四方一出於仁義當此之時周天子穆王無道意不在

天下好道士說得八龍騎之西遊同王母宴于瑤池之上歌謳忘歸四方諸侯之爭辯者無所質正咸賓祭於徐贄玉帛死生之物于徐之庭者三十六國得朱弓赤矢之瑞穆王聞之恐遂稱受命命造父御長驅而歸與楚連謀伐徐徐不忍鬭其民北走彭城武原山下百姓隨而從之萬有餘家偃王死民號其山爲徐山鑿石爲室以祠偃王偃王雖走死失國民戴其嗣爲君如初駒王章禹祖孫相望自秦至今名公巨人繼跡史書徐氏十望其九皆本於偃王而秦後

主　客　記徐而以秦並借虐立案借鏡立影也　句　影秦味　句　顧首

銘亦奇

昌黎至意平處便造奇語

案迄玆無間家天於柏翳之緒非偏有厚薄施仁與暴之報自然異也衢州故會稽太末也民多姓徐氏支縣龍丘有偃王遺廟或曰偃王之逃戰不之彭城之越城之隅棄玉几硏于會稽之水或曰徐子章禹旣執于吳徐之公族子弟散之徐揚二州間卽其居立先王廟云開元初徐姓二人相屬爲刺史帥其部之同姓改作廟屋載事于碑後九十年當元和九年而徐氏放復爲刺史放字達夫前碑所謂今戶部侍郎其大父也春行視農至于龍丘有事于廟思惟本原曰故制粥樸下窄不足以揭虔妥靈而又梁桷赤白陊剝不治圖像之威黕昧就滅藩拔級夷庭木禿缺祈畤日慢祥慶弗下州之羣支不獲蔭庥余惟遺紹而尸其土不卽不圖以有資聚罰其可辭乃命因故爲新衆工齊事惟月若日工告訖功大祠于廟宗卿咸序應是歲州無怪風劇雨民不夭厲穀果完實民皆曰耿耿祉哉其不可誣乃相與請辭京師歸而鑱之于石辭曰

秦傑以顛徐由遜緜秦鬼久餒徐有廟存婉婉偃王

特詳廟之始

並小說

此說當是

造語

惟道之耽以國易仁爲笑于頑自初擅命其實幾姓歷短詈長有不償亡課其利害孰與王當姑蔑之墟太末之里誰思王恩立廟以祀王之聞孫世世多有唯臨茲邦廟土實守堅嶠之後達夫廓之王歿萬年如始祔時王孫多孝世奉王廟達夫之來先慎詔教盡惠廟民不主於神維是達夫知孝之元太末之里姑蔑之城（倒前句摹詩中來）廟事時修仁孝振聲宜寵其人以及後生嗟嗟維王雖古誰亢王死于仁（又頌首來）彼以暴喪文追作誄刻示茫茫。

按偃王事不見傳記昌黎特採世所傳小說撰次本末而其論議歸本處當以徐之公族子弟祀偃王於其土爲是

曹成王碑

文有精奕但句字生割不免昌黎本色

王姓李氏諱臯字子蘭謚曰成其先王明以太宗子國曹絕復封傳五王至成王成王嗣封在玄宗世盖於時年十七八紹爵三年而河南北兵作天下振擾王奉母太妃逃禍民位得間走蜀從天子天子念之自都水使者拜左領軍衛將軍轉貳國子秘書王生十年而失先王哭泣哀悲弔客不忍聞喪除痛刮磨豪習委巳於學稍長重知人情急世之要耻一不通

直敘

略

句句字字洗刷

追

侍太妃從天子于蜀既孝既忠持官持身內外斬斬由是朝廷滋欲試之於民上元元年除温州長史行刺史事江東新刳於兵郡旱饑民交走死無弔王及州不解衣下令掊鎖擴門悉棄倉實與民活數十萬人奏報升秩少府與平袁賊仍徙秘書兼州別駕部告無事遷眞于衡法成令修治出張施聲生勢長觀察使嗇娼不能出氣誣以過犯御史助之貶潮州刺史楊炎起道州相德宗還王于衡以直前謾王之遭誣在理念太妃老將驚而戚出則囚服就辯入則擁

此昌黎

慣用家法

昌黎斧又近

事近奇摹寫亦奇

惜此書不傳

成王是奇男子昌黎紀次其事曲盡本末

惟陳言之務去此昌黎奇怪處

敘事處亦暗擬太史公

笏垂魚坦坦施施即眎于潮以遷入賀及是然後跪謝告實初觀察使虐使將國良以武岡叛戍衆萬人歛兵荆黔洪桂伐之二年尤張於是以王帥湖南將五萬士以討良爲事王至則屏兵投良以書中其忌諱良羞畏乞降狐鼠進退王即假爲使者從一騎踔五百里抵良壁鞭其門大呼我曹王來受良降良今安在良不得已錯愕迎拜盡降其軍太妃薨王棄部隨喪之河南葬及荆被詔責還會梁崇義反王遂不敢辭以還升秩散騎常侍明年李希烈反

遷御史大夫授節帥江西以討希烈命至王出止外舍禁無以家事關我哀兵大選江州羣能著職王親教之搏力勾卒嬴越之法曹誅五畀（分界其伍）（敗則誅及其曹有獲則）艦步二萬人以與賊遌嘬鋒蔡山踣之剜蘄之黃梅大鞣長平鏃廣濟掀蘄春撇蘄水掇黃岡筴漢陽行跐汊川還大膊蘄水界中披安三縣拔其州斬僞刺史標光之北山䧟隨光化梏其州十抽一（無丁而遻着也）（十抽而取一以爲兵即杜詩所謂）推救兵州東北屬鄉還開軍受降大小之戰三十有二取五州十九縣民老幼婦女不驚市賈不變田之果穀下無一跡加銀青光

祿大夫工部尚書改戶部再換節臨荆及襄眞食三百王之在兵天子西巡于梁希烈北取汴鄭東略宋圍陳西取汝薄東都王坐南方北向落其角距賊死咋不能入寸尺亡將卒十萬盡輸其南州王始政於温終政於襄恒平物估賤斂貴出民用有經一吏軌民使令家聽戶視姦宄無所宿府中不聞急步疾呼治民用兵各有條次世傳爲法任馬彞將愼將鍔將潛偕盡其力能薨贈右僕射元和初以子道古在朝更贈太子太師道古進士司門郎刺利隨唐睦徵爲

少宗正兼御史中丞以節督黔中朝京師改命觀察鄂岳蘄沔安黄提其師以伐蔡且行泣曰先王討蔡實取沔蘄安黄寄惠未亡今余亦受命有事于蔡而四州適在吾封庶其有集先王薨于今二十五年吾昆弟在而墓碑不刻無文其實有待子無用辭乃序而詩之辭曰

叙畧者詳之於銘 銘亦務奇語

太支十三曹於弟季或亡或微曹始就事曹之祖王畏塞絶遷零王黎公不聞僅存子父易封三王守名延延百載以有成王成王之作一自其躬文被明章

武薦畯功蘇枯弱强齦其姦猖以報于宗以昭于王王亦有子處王之所唯舊之視蹶蹶陛陛實取實似刻詩其碑爲示無止

昌黎每自喜陳言之去故曹成王碑當亦屬公得意之文而愚見則以務去陳言却行穿鑿生割亦昌黎病處特其識正而語確故學者不能訾

清邊郡王楊燕奇碑

條次戰功極卷然不及太史公道逸

公諱燕奇字燕奇弘農華陰人也大父知古祁州司倉烈考文誨天寶中實爲平盧衙前兵馬使位至特進檢校太子賓客封弘農郡開國伯世掌諸蕃互市恩信著明夷人慕之祿山之亂公年幾二十進言于其父曰大人守官宜不得去王室在難某其行矣其父爲之請于戎帥遂率諸將校之子弟各一人間道趨闕變服詭行日倍百里天子嘉之特拜左金吾衛

大將軍員外置賜勳上柱國寶應二年春詔從僕射田公平劉展又從下河北大曆八年帥師納戎帥勉于滑州九年從朝于京師建中二年城汴州功勞居多三年從攻李希烈先登貞元二年從司徒劉公復汴州十二年與諸將執以城叛者歸之于京師事平授御史大夫食實封百戶賜繒綵有加十四年年六十一五月某日終于家自始命左金吾大將軍凡十五遷爲御史大夫職爲節度押衙右廂兵馬使兼馬軍先鋒兵馬使階爲特進勳爲上柱國爵爲清邊郡

[illegible]邊郡王楊燕奇碑

敘次戰功極悉然不及太史公道逸

公諱燕奇字燕奇弘農華陰人也大父知古祁州司倉烈考文誨天寶中實爲平盧衙前兵馬使位至特進檢校太子賓客封弘農郡開國伯世掌諸蕃互市恩信著明夷人慕之祿山之亂公年幾二十進言于其父曰大人守官宜不得去王室在難某其行矣其父爲之請于戎帥遂率諸將校之子弟各一人間道趨闕變服詭行日倍百里天子嘉之特拜左金吾衛

大將軍員外置賜勳上柱國寶應二年春詔從僕射田公平劉展又從下河北大曆八年帥師納戎帥勉于滑州九年從朝于京師建中二年城汴州功勞居多三年從攻李希烈先登貞元二年從司徒劉公復汴州十二年與諸將執以城叛者歸之于京師事平授御史大夫食實封百戶賜繒綵有加十四年年六十二五月某日終于家自始命左金吾大將軍凡十五遷爲御史大夫職爲節度押衙右廂兵馬使兼馬軍先鋒兵馬使階爲特進勳爲上柱國爵爲清邊郡

清邊郡王楊燕奇碑

條次戰功極瑩然不及太史公道逸

公諱燕奇字燕奇弘農華陰人也大父知古祁州司倉烈考文誨天寶中實爲平盧衙前兵馬使位至特進檢校太子賓客封弘農郡開國伯世掌諸蕃互市恩信著明夷人慕之祿山之亂公年幾二十進言于其父曰大人守官宜不得去王室在難某其行矣其父爲之請于戎帥遂率諸將校之子弟各一人間道趨闕變服詭行日倍百里天子嘉之特拜左金吾衛

大將軍員外置賜勳上柱國寶應二年春詔從僕射田公平劉展又從下河北大曆八年帥師納戎帥勉于滑州九年從朝于京師建中二年城汴州功勞居多三年從攻李希烈先登貞元二年從司徒劉公復汴州十二年與諸將執以城叛者歸之于京師事平授御史大夫食實封百戶賜繒綵有加十四年年六十二五月某日終于家自始命左金吾大將軍凡十五遷爲御史大夫職爲節度押衙右廂兵馬使兼馬軍先鋒兵馬使階爲特進勳爲上柱國爵爲清邊郡

王食虛邑自三百戶至三千戶眞食五百戶終焉公結髮從軍四十餘年敵攻無堅城守必完臨危蹈難歔欷感發乘機應會捷出神怪不畏義死不榮幸生故其事君無疑行其事上無間言初僕射田公其母隔于冀州公獨請往迎之經營賊城出入死地卒致其母田公德之約爲父子故公始姓田氏田公終而後復其族焉嗣子通王屬良禎以其年十月庚寅塟公于開封縣魯陵岡隴西郡夫人李氏祔焉夫人清夷郡太守祐之孫漁陽郡長史獻之女柔嘉淑明先

公而殂有男四人女三人後夫人河南郡夫人雍氏某官之孫某官之女有男一人女二人咸有至性純行夫人同仁均養親族不知異焉君子於是知楊公之德又行于家也銘曰

烈烈大夫逢時之虞感泣辭親從難于秦維兹爰始遂勤其事四十餘年或裨或專攻牢保危爵位已躋旣明且愼終老無懠魯陵之岡蔡河在側烝烝孝子思顯勳績斲石于此式垂後嗣

錢豐寰曰旂常金石之文須有淵大冠冕氣象方稱此文得之

從他處敘及平淮

將起特遲扭

思與氣俱屬雋偉

平淮西碑

通篇次第戰功摹倣史漢而其辭旨特自出機軸其最好處在得臣下頌美天子之體

天以唐克肖其德聖子神孫繼繼承承於千萬年敬戒不怠全付所覆四海九州罔有内外悉主悉臣高祖太宗既除既治高宗中睿休養生息至于玄宗受報收功極熾而豐物衆地大孽牙其間肅宗代宗德祖順考以勤以容大慝適去稂莠不薅相臣將臣文恬武嬉習熟見聞以爲當然睿聖文武皇帝既受群臣朝乃考圖數貢曰嗚呼天既全付予有家今傳次在予予不能事事其何以見于郊廟群臣震懾奔走率職明年平夏又明年平蜀又明年平江東又明年平澤潞遂定易定致魏博貝衛澶相無不從志皇帝曰不可究武予其少息九年蔡將死蔡人立其子元濟以請不許遂燒舞陽犯葉襄城以動東都放兵四劫皇帝歴問于朝一二臣外皆曰蔡帥之不廷授于今五十年傳三姓四將其樹本堅兵利卒頑不與他等因撫而有順且無事大官臆決唱聲萬口和附并

迴護好

客

主

包藏不可遺又不可露

以下撰次如畫

歸重度度凡三見

以下諸將會戰次第大率本史遷絳灌等列傳來

爲一談牢不可破皇帝曰惟天惟祖宗所以付任予
者庶其在此予何敢不力況一二臣同不爲無助曰（暗指）
光顏汝爲陳許帥維是河東魏博郃陽三軍之在行
者汝皆將之曰重胤汝故有河陽懷今益以汝維是
朔方義成陜益鳳翔延慶七軍之在行者汝皆將之
曰弘汝以卒萬二千屬而子公武往討之曰文通汝
守壽維是宣武淮南宣歙浙西四軍之行于壽者汝
皆將之曰道古汝其觀察鄂岳曰愬汝帥唐鄧隨各
以其兵進戰曰度汝長御史其往視師曰度惟汝予（暗應）

同汝遂相予以賞罰用命不用命曰弘汝其以節都
統諸軍曰守謙汝出入左右汝惟近臣其往撫師曰
度汝其往衣服飲食予士無寒無飢以旣厥事遂生
蔡人賜汝節斧通天御帶衛卒三百凡茲廷臣汝擇
自從惟其賢能無憚大吏庚申予其臨門送汝曰御
史予閔士大夫戰甚苦自今以往非郊廟祠祀其無（故着閒語）
用樂顏胤武合攻其北大戰十六得柵城縣二十三
降人卒四萬道古攻其東南八戰降萬三千再入申
破其外城文通戰其東十餘遇降萬二千愬入其西

得賊將輒釋不殺用其策戰比有功十二年八月丞相度至師都統弘責戰益急顏胤武合戰益用命元濟盡幷其衆洄曲以備十月壬申愬用所得賊將自文城因天大雪疾馳百二十里用夜半到蔡破其門取元濟以獻盡得其屬人卒辛巳丞相度入蔡以皇帝命赦其人淮西平大饗賚功師還之日因以其食賜蔡人凡蔡卒三萬五千其不樂爲兵願歸爲農者十九悉縱之斬元濟京師冊功弘加侍中愬爲左僕射帥山南東道顏胤皆加司空公武以散騎常侍帥鄜坊丹延道古進大夫文通加散騎常侍丞相度朝京師道封晉國公進階金紫光祿大夫以舊官相而以其副總爲工部尚書領蔡任旣還奏群臣請紀聖功被之金石皇帝以命臣愈臣愈再拜稽首而獻文曰

唐承天命遂臣萬邦孰居近土襲盜以狂往在玄宗崇極而圮河北悍驕河南附起四聖不宥屢興師征有不能克益戍以兵夫耕不食婦織不裳輸之以車爲卒賜糧外多失朝曠不嶽狩百隸怠官事亡其舊

帝時繼位顧瞻咨嗟惟汝文武孰恤予家既斬吳蜀
旋取山東魏將首義六州降從淮蔡不順自以為强
提兵叫讙欲事故常始命討之遂連姦鄰陰遣刺客
來賊相臣方戰未利內驚京師群公上言莫若惠來
帝為不聞與神為謀乃相同德以訖天誅乃勑顏胤
愬武古通咸統於弘各奏汝功三方分攻五萬其師
大軍北乘厥數倍之常兵時曲軍士蠢蠢既翦陵雲
蔡卒大窘勝之邵陵郾城來降自夏入秋復屯相望
兵頓不勵告功不時帝哀征夫命相往釐士飽而歌

馬騰於槽試之新城賊遇敗逃盡抽其有聚以防我
西師躍入道無留者頟頟蔡城其疆千里既入而有
莫不順俟帝有恩言相度來宣誅止其魁釋其下人
蔡之卒夫投甲呼舞蔡之婦女迎門笑語蔡人告飢
船粟往哺蔡人告寒賜以繒布始時蔡人禁不往來
今相從戲里門夜開始時蔡人進戰退戮今旰而起
左飧右粥為之擇人以收餘憊選吏賜牛教而不稅
蔡人有言始迷不知今乃大覺羞前之為蔡人有言
天子明聖不順族誅順保性命汝不吾信視此蔡方

孰爲不順徃斧其吭凡叛有數聲勢相倚吾强不支汝弱奚恃其告而長而父而兄奔走偕來同我太平淮蔡爲亂天子伐之既伐而飢天子活之始議伐蔡卿士莫隨既伐四年小大並疑不赦不疑由天子明凡此蔡功惟斷乃成既定淮蔡四夷畢來遂開明堂坐以治之

此二句平淮之案

收語有不盡之意妙

樓迂齋曰看他抑揚起伏鋪張回護布置收拾之法當與元和聖德詩並看

林次崖曰此碑叙天子之命將諸侯之用兵以至奏功須賞略無遺漏又有法度有氣象

烏氏廟碑銘

序烏氏世系及戰功處錯綜而鬯

元和五年天子曰盧從史始立議用師于恒乃陰與寇連夸謾兇驕出不遜言其執以來其四月中貴人承璀即誘而縛之其下皆甲以出操兵趨譁牙門都將烏公重胤當軍門叱曰天子有命從有賞敢違者斬於是士皆斂兵還營卒致從史京師壬辰詔用烏公為銀青光祿大夫河陽軍節度使兼御史大夫封

張掖郡開國公居三年河陽稱治詔贈其父工部尚書且曰其以廟享即以其年營廟于京師崇化里軍佐竊議曰先公既位常伯而先夫人無加命號名差甲於配不宜語聞詔贈先夫人劉氏沛國太夫人八年八月廟成三室同宇祀自左領府君而下作主于第乙巳升于廟烏氏著於春秋譜於世本列於姓苑在莒者存在齊有餘枝鳴皆為大夫秦有獲為大官其後世之江南者家鄱陽處北者家張掖或入夷狄為君長唐初察為左武衛大將軍實張掖人其子曰

令望爲左領軍衛大將軍孫曰崇爲中郎將是生贈尚書諱承玼字某烏氏自莒齊秦大夫以來皆以材力顯及武德以來始以武功爲名將家開元中尚書管平盧先鋒軍屬破奚契丹從戰捺祿走可突干渤海擾海上至馬都山吏民逃徙失業尚書領所部兵塞其道塹原累石綿四百里深高皆三丈寇不得進民還其居歲罷運錢三千萬餘黑水室韋以騎五千來屬麾下邊威益張其後與耿仁智謀說史思明降思明復叛尚書與兄承恩謀殺之事發族夷尚書獨

走免李光弼以聞詔拜冠軍將軍守右威衛將軍檢校殿中監封昌化郡王右嶺軍使積粟厲兵出入耕戰以疾去職貞元十一年二月丁巳薨於華陰告平里年若干即葬於其地二子大夫爲長季曰重元爲某官銘曰

烏氏在唐有家于初左武左領二祖紹居中郎少卑屬于尚書不償其勞乃相大夫授我戎節制有壇墟數備禮登以有宗廟作廟天都以致其孝右祖左孫爰饗其報云誰無子其有無孫克對無羞乃惟有人

念昔平盧。爲艱爲瘁。大夫承之。危不棄義。四方其平。
士有息息。來覲來齋。以饋黍稷。

魏博節度觀察使沂國公先廟碑銘

按田弘正本傳世多臣順大節昌黎公特隱括其以六州還朝廷一事而頌美之詞特詳銘中甚得體

錢豊寰曰凡作朝廷有關係文須如此簡嚴典重方為得体

錢豊寰曰數語而盡可為代言之法

錢豊寰曰切証

元和八年十一月壬子上命丞相元衡丞相吉甫丞相絳召太史尚書比部郎中韓愈至政事堂傳詔曰田弘正始有廟京師朕惟弘正先祖父厥心靡不嚮帝室訖不得施乃以教付厥子維弘正銜訓事嗣朝夕不怠以能迎天之休顯有丕功維父子繼忠孝予

維寵嘉之是以命汝愈銘欽哉惟時臣愈承命悸恐明日詣東上閤門拜疏辭謝不報退伏念昔者魯僖公能遵其祖伯禽之烈周天子實命其史臣克作為駉駜泮閟之詩使聲于其廟以假魯陵今天子嘉田侯服父訓不違用康靖我國家蓋寵銘之所以休寧田氏之祖考而臣適執筆隷太史奉明命其何以辭謹案魏博節度使銀青光祿大夫檢校工部尚書兼魏州大都督府長史御史大夫沂國公田弘正北平盧龍人故為魏博諸將忠孝畏慎田季安卒其子幼

錢豈褱曰獨揭弘正大節立言

錢豈褱曰銘筆尤高

弱。用故事代父。人吏不附。迎弘正於其家使領軍事。弘正籍其軍之衆與六州之人。還之朝廷。悉除河北故事比諸州。故得用爲帥。已而復贈其父故滄洲刺史兵部尚書。母夫人鄭氏梁國太夫人。得立廟祭三代。曾祖都水使者府君祭初室。祖安東司馬贈襄州刺史府君祭二室。兵部府君祭東室。其銘曰。

（銘得体）

唐繼古帝。海外受制。狎于大寧。燕盜以驚。群黨相維。河北失平。號登元和。大聖載營。風揮日舒。咸順指令。業業魏土。嬰兒戲兵。吏戎愁毒。莫保腰頸。人曰田侯

其德可倚。吽譟奔趨。乘門請起。田侯攝事。奉我天明。束縛弓戈。考校度程。提壃籍戶。來復邦經。帝欽良臣。曰維錫予。嗟我六州。始復故初。告慶于宗。以降命書。旄節有翦。豹尾神旗。櫜兆戟纛。以長魏師。田侯稽首。臣愚不肖。迨茲有成。祖考之教。帝曰俞哉。維汝忠孝。予思乃父。追秩夏卿。媲德娠賢。梁國是榮。田侯作廟。相方視阯。見于蓍龜。祖考咸喜。暨暨田侯。兩有文武。訖其外庸。可作承輔。咨汝田侯。勿亟勿遲。觀饗式時。爾祖爾恩。

呂雅山曰古尚書文字扶經之輿振國之藻非小小作也

錢豐寰曰太羹玄酒沖乎有餘味

情事有生色

柳州羅池廟碑

予覽昌黎碑柳州不書柳州德政之可載之其死而為神一節似狎而少莊

不立冒頭

羅池廟者故刺史柳侯廟也柳侯爲州不鄙夷其民動以禮法三年民各自矜奮茲土雖遠京師吾等亦天氓今天幸惠仁侯若不化服我則非人於是老少相教語莫違侯令凡有所爲於其鄉閭及於其家皆曰吾侯聞之得無不可於意否莫不忖度而後從事凡令之期民勸趨之無有後先必以其時於是民業

有經公無負租流逋四歸樂生興事宅有新屋步有新船池園潔修豬牛鴨雞肥大蕃息子嚴父詔婦順夫指嫁娶葬送各有條法出相弟長入相慈孝先時民貧以男女相質久不得贖盡沒爲隸我侯之至按國之故以傭除本悉奪歸之大修孔子廟城郭巷道皆治使端正樹以名木柳民既皆悅喜常與其部將魏忠謝寧歐陽翼飲酒驛亭謂曰吾棄於時而寄於此與若等好也明年吾將死死而爲神後三年爲廟祀我及期而死三年孟秋辛卯侯降于州之後堂歐

陽翼等見而拜之其夕夢翼而告曰館我于羅池其月景辰廟成大祭過客李儀醉酒慢侮堂上得疾扶出廟門卽死明年春魏忠歐陽翼使謝寧來京師請書其事于石余謂柳侯生能澤其民死能驚動福禍之以食其上可謂靈也已作迎享送神詩遺柳民俾歌以祀焉而幷刻之柳侯河東人諱宗元字子厚賢而有文章嘗位于朝光顯矣已而擯不用其辭曰

（柳州人之言如此）（結束通篇）（叙子厚生平只兩三語隱然）

荔子丹兮蕉黃雜肴蔬兮進侯堂侯之船兮兩旗度中流兮風泊之待侯不來兮不知我悲侯乘駒兮入廟慰我民兮不嚬以笑鵝之山兮柳之水桂樹團團兮白石齒齒侯朝出遊兮暮來歸春與猨吟兮秋鶴與飛北方之人兮爲侯是非千秋萬歲兮侯無我違福我兮壽我驅厲鬼兮山之左下無苦濕兮高無乾秔稌充羨兮蛇蛟結蟠我民報事兮無怠其始自今兮欽于世世

（追九歌）（悲涼）（祈神）

樓迂齋曰叙事有倫句法矯健

唐故相權國公墓碑

直叙中多古字生塞處銘可誦

上之元和六年其相曰權公諱德輿字載之其本出自殷帝武丁武丁之子降封於權權江漢間國也周衰入楚爲權氏楚滅徙秦而居天水略陽苻秦之王中國其臣有安丘公翼者有大臣之言後六世至平凉公文誕爲唐上庸太守荆州大都督長史焯有聲烈平凉曾孫諱倕贈尚書禮部郎中以藝學與蘇源明相善卒官羽林軍録事參軍於公爲王父郎中生

贈太子太保諱皐以忠孝致大名去官累以官徵不起追謚貞孝是實生公公在相位三年其後以吏部尚書授節鎮山南年六十以薨贈尚書左僕射謚文公

獨揭爲宰相與享年及謚

於首以後纔行次第生平

公生三歲知變四聲四歲能爲詩七歲而貞孝公卒來弔哭者見其顔色聲容皆相謂權氏世有其人及長好學孝敬祥順貞元八年以前江西府監察御史徵拜博士朝士以得人相慶改左補闕章奏不絶譏排姦倖與陽城爲助轉起居舍人遂知制誥凡撰命詞九年以類集爲五十卷天下稱其能十八年以

諫諍

文學

中書舍人典貢士拜尚書禮部侍郎薦士於公者其言可信不以其人布衣不用卽不可信雖大官勢人交言一不以綴意奏廣歲所取進士明經在得人不以員拘轉戶兵吏三曹侍郎太子賓客復爲兵部遷太常卿天子愈推爲鉅人長德時天子以爲宰相宜參用道德人因拜禮部尚書同中書門下平章事公旣謝辭不許其所設張舉措必本於寬大以幾教化多所助與維匡調娛不失其正中於和節不爲聲章因善與賢不矜主已以吏部尚書留守東都東方諸

帥有利病不能自請者公常與疏陳不以露布復拜太常轉刑部尚書考定新舊令式爲三十編舉可長用其在山南河南勤于選付治以和簡人以寧便以疾求還十三年某月甲子道薨于洋之白草奏至天子痌傷爲之不御朝郎官致贈錫官居野處上下弔哭皆曰善人死矣其年某月日塟河南北山在貞孝東五里公由陪屬升列年除歲遷以至公宰人皆喜聞若巳與無有忌嫉者于頔坐子殺人失位自囚親戚莫敢過門省顧朝莫敢言者公將留守東都爲上

言曰頔之罪既貫不竟宜因賜寬詔上曰然公爲吾行諭之頔以不憂死前後考第進士及庭所策試士踵相躡爲宰相達官與公相先後其餘布處臺閣外府凡百餘人自始學至疾未病未嘗一日去書不觀公既以能爲文辭擅聲於朝多銘卿大夫功德然其爲家不視簿書未嘗問有亡費不俟餘公娶清河崔氏女其父造嘗相德宗號爲名臣既塟其子監察御史璩纍然服喪來有請乃作銘文曰

俟或作儲

權在商周世無不存滅楚徙秦嬴劉之間甘泉始侯

以及安丘詆訶浮屠皇極之扶貞孝之生鳳鳥不至爵位豈多半塗以稅壽考豈多四十而逝惟其不有以惠厥後是生相君爲朝德首行世祖之文世師之流連六官出入屏毗無黨無讐舉世莫疵人所憚爲公勇爲之其所競馳公絕不窺孰克知之德將在斯刻詩墓碑以永厥垂

誌中不及

唐荆川曰平叙多用虚説

敘世系亦錯綜

以下七能字如貫珠

滎陽鄭公神道碑

河東節度使贈尚書右僕射鄭公塋在滎陽索上元和八年六月庚子太史尚書比部郎中護軍韓愈刻其墓碑曰司馬氏遷江南有鄭豁者仕慕容垂國爲其太子少保其孫簡當拓拔魏爲滎陽太守後簡者號其族爲南祖南祖之鄭入唐有爲利之景谷令者曰嘉範於公爲曾祖是生撫俗爲泗之徐城令徐城生公之父曰洪卒官凉之户曹參軍公諱儋少依母家隴西李氏舉止異凡兒其舅吏部侍郎季卿謂其

必能再立鄭氏稍長能自課學明左氏春秋以進士選爲太原參軍事對直言策拜京兆高陵尉考府之進士能第上下以實不姦欺僕射澤以襄陽兵戰淮西公以參謀畱府能任後事户曹殯于凉凉地入西戎自景谷徐城三世皆未還滎陽塋公解官舉五喪爲三墓塋索東徐城墓無表公能幼長哀慼心求不置以得舊人指告其處其後爲大理丞太常博士遷起居郎尚書司封吏部二郎中能官舉其名德宗晚節儲將於其軍以公爲河東軍司馬能以無心處嫌

事類五父之衢

間卒用有就貞元十六年將詭死卽詔授司馬節節
度河東軍除其官爲工部尚書太原尹兼御史大夫
北都留守公之爲司馬用寛廉平正得吏士心及昇
太帥持是道不變部將有因貴人求要職者公不用
用老而有功無勢而遠者側四鄰之交賄省姱嫮之
大燕校講民事施罷不竢日用能以十月成政訊征
就寛軍給以饒十七年疾廢朝夕八月庚戌薨享年
六十一天子爲之不能臨朝者三日贈尚書右僕射
卽以其年十月辛卯塟索上疾比薨醫問交道比塟

弔贈賜使者相及凡河東軍之士與太原之訊吏及
旁九郡百邑之鰥寡外夷狄之統於府者聞公之薨
皆哭曰吾其如何公與賓客朋遊飲酒必極醉投壺
博奕窮日夜若樂而不厭者平居簾閣據几終日不
知有人別自號白雲翁名人魁士鮮不與善好樂後
進及門接引皆有恩意始娶范陽盧氏女生仁本仁
約仁載皆有文行二季舉進士皆早死仁本爲後子
獨存不樂舉選年三十餘始佐河陽軍後娶趙郡李
氏生三女二夫人凡三男五女長女嫁遼東李繁繁

亦名臣子有才學遺命二夫人各别爲墓不合塟系

曰

士常患勢卑不能推功德及人常患貧無以奉所欲

得若鄭公者勤一生以得其位而曾不得須臾有焉

雖然觀其所旣立其可知已嗚呼哀哉

太原王公神道碑銘

王氏皆王者之後在太原者爲姬姓春秋時王子成父敗狄有功因賜氏厥後世居太原至東漢隱士烈博士徵不就居祁縣因號所居鄉爲君子公其君子鄉人也魏晉涉隋世有名人國朝大王父玄暕歷御史屬三院止尚書郎生景肅守三郡終傳凉王生政襄鄧等州防禦使鄂州採訪使贈吏部尚書公尚書之第某子公諱仲舒字弘中少孤奉母夫人家江南讀書著文其譽藹鬱當時名公皆折官位輩行願爲

交貞元初射策拜左拾遺與陽城合遏裴延齡不得爲相德宗初怏怏無柰久而嘉之其後入閤德宗顧列謂宰相曰第幾人必王某也果然月餘特改右補闕遷禮部考功吏部三員外郎在禮部奏議詳雅省中伏其能在考功吏部提約明故吏無以欺同列有恃恩自得者衆皆媚承公嫉其爲人不直視由此貶連州司戸移夔州司馬又移荊南因佐其節度事爲叅謀得五品服放跡在外積四年元和初收拾俊賢徵拜吏部員外郎未幾爲職方郎中知制誥友人得

罪斥逐後其家親知過門縮頸不敢視公獨省問爲
訃度論議直其寃由是出爲峽州刺史轉廬州未至
丁母夫人憂服除又爲婺州時疫旱甚人死亡且盡
公至多方救活天遂雨疫定比數年里閭完復制使
出巡人塡道迎顯公德事具聞就加金紫轉蘇州變
其屋居以絕火延隄松江路害絕阻滯秋夏賦調自
爲書與人以期吏無（伏後）及門而集政成爲天下守之最
天子曰王某之文可思最宜爲誥有古風豈可久以
吏事役之復拜中書舍人既至京師儕流無在者視

同列皆邈然少年益自悲而謂人曰豈可復治筆硯
於其間哉上若未棄臣宜用所長在外久周知俗之
利病俾治之當不自愧宰相以聞遂得觀察江南西
道奏罷榷酤錢九千（千或作十）萬軍息之無已掌吏壞產猶不
釋囚之公至脫械不問人遭水旱賦窘公曰我且減
燕樂絕他用錢可足乎遂以代之罷軍之息錢禁浮
屠誑誘壞其舍以葺公宇三年法大成錢餘於庫粟
餘於廩人享于田廬謳謌於道途天子復思且徵以
代虛吏部左丞位以待之長慶三年十一月十七日

銘亦波蕩

薨於洪州年六十二上哀慟輟朝贈左散騎常侍其
日歸葬於其處其既以公之德刻而藏之墓矣子初
又請詩以揭之詞曰
生人之治本乎斯文有事其末而忘其源切近昧陋
道由是堙有志其本而泥古陳當用而迂乖戾不伸
較是二者其過也均有美王公志儒之本達士之經
秩秩而積涵涵而停韡爲華英不矜不盈孰播其聲
孰發其明介然而居士友以傾敷文帝階擢列侍從
以忠遠名有直有諷辨遏堅懇巨邪不用秀出班行

乃動帝目帝省竭心恩顧日渥翔于郎署騫于禁密
發帝之令簡古而蔚不比于權以直友宼敲撼挫揠
竟遭斥奔久淹于外歷守大藩所至極思必悉利病
萎枯以膏燠暍以醒坦之敞之必絕其徑浚之澄之
使安其泳帝思其文復命掌誥公潛謂人此職宜少
豈無凋郡庸以自效上藉其實俾統于洪逋之攸除
姦訛革風祛蔽于日釋負于躬方乎所部禁絕浮屠
風雨順易秔稻盈疇人得其所乃恬乃謳化成有代
思以息勞虛位而竢奄忽滔滔維德維積志于斯石

日遠彌高。

錢豐寰曰次韓弘行述特詳而氣骨頗蒼勁鋒穎頗圓利

贈太尉許國公神道碑銘

此篇大畧類傳而中多險棘句

韓姬姓以國氏其先有自潁川徙陽夏者其地於今為陳之太康太康之韓其稱盖久然自公始大著公諱弘公之父曰海為人魁偉沈塞以武勇遊仕許汴之間寡言自可不與人交衆推以為鉅人長者官至游擊將軍贈太師娶鄉邑劉氏女生公是為齊國太夫人夫人之兄曰司徒玄佐有功建中貞元之間為宣武軍帥有汴宋亳潁四州之地兵士十萬人公少

入劉玄佐處有法　以下首述韓弘奬點

整整有法

依舅氏讀書習騎射事親孝謹偘偘自將不縱為子弟華靡遨放事出入敬恭軍中皆目之嘗一抵京師就明經試退曰此不足發名成業復去從舅氏學將兵數百人悉識其材鄙怯勇指付必堪其事司徒歎奇之士卒屬心諸老將皆自以為不及司徒卒去為宋南城將比六七歲汴軍連亂不定貞元十五年劉逸淮死軍中皆曰此軍司徒所樹必擇其骨肉為士卒所慕賴者付之今見在人莫如韓甥且其功最大而材又俊即柄授之而請命於天子天子以為然遂

摹寫曲盡

以下書弘爲節度使凡七事而入朝一節尤藩鎮所罕見者故公特詳次之

自大理評事拜工部尚書代逸淮爲宣武軍節度使悉有其舅司徒之兵與地衆果大悅便之當此時陳許帥曲環死而吳少誠反自將圍許求援於逸淮諂之以陳歸汴使數輩在館公悉驅出斬之選卒三千人會諸軍擊少誠許下少誠失勢以走河南無事公曰自吾舅歿五亂於汴者吾苗薅而髮櫛之幾盡然不一揃刈不足令震駴命劉鍔以其卒三百人待命于門數之以數與於亂自以爲功幷斬之以徇血流波道自是訖公之朝京師廿有一年莫敢有讙呶叫

號于城郭者李師古作言起事屯兵于曹以嚇滑帥且告假道公使謂曰汝能越吾界而爲盜邪有以相待無爲空言滑帥告急公使謂曰吾在此公無恐或告曰翦棘夷道兵且至矣請備之公曰兵來不除道也不爲應師古詐窮變索遷延旋軍少誠以牛皮鞵材遺師古師古以鹽資少誠潛過公界覺皆留輸之庫曰此於法不得以私相餽田弘正之開魏博李師道使來告曰我代與田氏約相保援今弘正非其族又首變兩河事亦公之所惡我將與誠德合軍討之

昌黎得力處在去陳言不能如史遷處亦在去陳言

敢告公謂其使曰我不知利害知奉詔行事耳若兵北過河我即東兵以取曹師道懼不敢動弘正以濟誅吳元濟也（第六節）命公都統諸軍曰無自行以遏北寇公請使子公武以兵萬三千人會討蔡下歸財與糧以濟諸軍卒擒蔡姦於是以公爲侍中而以公武爲鄜坊丹延節度使師道之誅（第七節）公以兵東下進圍考城克之遂進迫曹曹寇乞降鄆部既平公曰吾無事於此其朝京師（以下書弘入覲）天子曰大臣不可以暑行其秋之待公曰君爲仁臣爲恭可矣遂行既至獻馬三千匹絹五十

萬匹他錦紈綺纈又三萬金銀器千而汴之庫廄錢以貫數者尚餘百萬絹亦合百餘萬匹馬七千糧三百萬斛兵械多至不可數初公有汴承五亂之後掠賞之餘且歛且給恒無宿儲至是公私充塞至於露積不垣冊拜司徒兼中書令進見上殿拜跪給扶贊元經體不治細微天子敬之元和十五年今天子即位公爲冢宰又除河中節度使在鎮三年以疾乞歸復拜司徒中書令病不能朝以長慶二年十二月三日薨于永崇里第年五十八天子爲之罷朝三日贈

太尉賜布粟其葬物有司官給之京兆尹監護明年七月某日葬于萬年縣少陵原京城東南三十里楚國夫人翟氏祔子男二人長曰肅元某官次曰公武某官肅元早死公之將薨公武暴病先卒公哀傷之月餘遂薨無子以公武子孫紹宗爲主後汴之南則蔡北則鄆二寇患公居間爲巳不利卑身佞辭求與公好薦女請昏使日月至旣不可得則飛謀釣謗以間染我公先事候情壞其機牙姦不得發王誅以成最功定次孰與高下公子公武與公一時俱授弓鉞

處藩爲將疆土相望公武以母憂去鎭公母弟充自金吾代將滑北公以司徒中書令治蒲于時弟充自鄭滑節度平宣武之亂以司空居汴自唐以來莫與爲比公之爲治嚴不爲煩止除害本不多教條與人必信吏得其職賦入無所漏失人安樂之在所以富公與人有畛域不爲戲狎人得一笑語重於金帛之賜其罪殺人不發聲色問法何如不自爲輕重故無敢犯者其銘曰

在貞元世汴兵五猘將得其人衆乃一愒其人爲誰

韓姓許公磔其梟狼養以雨風桑穀奮張厥壞大豐
貞元元孫命正我宇公爲臣宗處得地所河流兩壖
盜連爲羣雄唱雌和首尾一身公居其間爲帝督姦
察其嚬呻與其睍眴左顧失視右顧而跽蔡先鄆鉏
三年而墟槁乾四呼終莫敢濡常山幽都孰陪孰扶
天施不畱其討不逋許公預焉其賚何如悠悠四方
旣廣旣長無有外事朝廷之治許公來朝車馬干戈
相乎將乎威儀之多將則是巳相則三公釋師十萬
歸居廟堂上之宅憂公讓太宰養安蒲坂萬邦絕等

有弟有子提兵守藩一時三侯人莫敢扳生莫與榮
殁莫與令刻文此碑以鴻厥慶

唐故中散大夫少府監胡良公墓神道碑

通篇述書

少府監胡公者諱珦字潤博年七十九以官卒明年八月十四日塟京兆奉先夫人天水趙氏附焉其子湜遡巡遇述遷造與公壻廣文博士吳郡張籍以公之族出行治歷官壽年爲書使人自京師南走八千里至閩南兩越之界上請爲公銘刻之墓碑於潮州刺史韓愈曰胡姓本出安定後徙清河於今爲宗城屬貝州大父諱秀武后時以文材徵爲麟臺正字父

宰臣用進士卒官平陽冀氏令贈潭州大都督公早孤能自勸學立節槩非其身力不以衣食凡一試進士二即吏部選皆以文章占上第樂爲儉勤自刻削不干人以矯時弊及爲富平尉一府稱其斷決建中四年侍郎趙贊爲度支使薦公爲監察御史主餽給滑橋以東軍洗手奉職不以一錢假人賊平有司考覈羣吏多坐貶死獨公以清苦能檢飭無漏失遷河南倉曹魏公賈耽以節鎮鄭滑以公佐觀察事檢校尚書工部員外郎以剛直齟齬不阿忤權貴除獻陵

令居陵下七年市置田宅務種樹爲業以自給教授子弟貞元十一年吏部大選以公考選人藝學以勞遷奉先令以治辦遷尚書膳部郎中改坊州刺史州經亂無孔子廟公至則命築宮造祭器率博士生講讀以時如法以祠人吏聚觀歎息遷舒州刺史州歲大熟麥一莖數穗閭里歌舞之考功以聞遷尚書駕部郎中數以事犯尚書李巽巽時主鹽鐵事富驕恃勢以語丞相由是退公爲鳳翔少尹巽死遷少大理改少詹事元和十二年朝廷以公年老能自祗力事

職不懈可嘉拜少府監兼知内中尚明年以病卒公始以進士孤身旅長安致官九卿爲大家七子皆有學守女嫁名人年幾八十堅悍不衰事可傳載可謂成德銘曰

揭揭胡公既果以方挾藝射科每發如望人求於人我已爲之自始訖終不降色辭因官立事隨有可載發跡餽軍遭讒府介去居陵下爲吏爲隱坊舒之政于茲有靳守官駕部名昇已屈躋于少府甚宜秩物不配其有君子耻之少府古卿公優止之刻文碑石

以顯公行。維公後人。無忝嗣慶。